弘扬传统友好　共谱合作新篇

——在巴西国会的演讲

（2014年7月16日）

习　近　平

人　民　出　版　社

图书在版编目(CIP)数据

弘扬传统友好　共谱合作新篇:在巴西国会的演讲/习近平. —北京:
人民出版社,2014.8
ISBN 978-7-01-013820-6

Ⅰ.①弘…　Ⅱ.①习…　Ⅲ.①习近平-讲话-学习参考资料
②中外关系-巴西　Ⅳ.①D2-0 ②D822.377.7

中国版本图书馆 CIP 数据核字(2014)第 176043 号

(RMC-ZJDXI-011-20140716)

弘扬传统友好　共谱合作新篇

HONGYANG CHUANTONG YOUHAO　GONGPU HEZUO XINPIAN

——在巴西国会的演讲

(2014 年 7 月 16 日)

习　近　平

人民出版社 出版发行
(100706　北京市东城区隆福寺街 99 号)

北京新华印刷有限公司印刷　新华书店经销

2014 年 8 月第 1 版　2014 年 8 月北京第 1 次印刷
开本: 880 毫米×1230 毫米 1/32　印张: 0.5
字数: 7 千字　印数: 00,001-10,000 册

ISBN 978-7-01-013820-6　定价:2.50 元

邮购地址 100706　北京市东城区隆福寺街 99 号
人民东方图书销售中心　电话 (010)65250042　65289539

弘扬传统友好　共谱合作新篇

——在巴西国会的演讲

（2014 年 7 月 16 日）

中华人民共和国主席　习近平

尊敬的卡列罗斯参议长先生，

尊敬的特梅尔副总统先生，

尊敬的阿尔维斯众议长先生，

各位议员朋友，各位嘉宾，

女士们，先生们，朋友们：

布阿·达吉！下午好！今天，有机会来到巴西国会，同各位朋友相聚，感到十分高兴。中国人认为，如果有缘分，再远也能相会，叫作“有缘千里来相会”。

首先，我谨代表中国政府和中国人民，并以我个人的名义，向在座各位朋友，向热情友好的巴西人民，向拉美和加勒比各国人民，致以诚挚的问候和良好的祝愿！

刚才，我会见了卡列罗斯参议长和阿尔维斯众议长，就中巴关系和共同关心的问题进行了很好的交谈。明天，我将同罗塞夫总统举行会谈，共商两国关系发展大计。

5 年前，我来过巴西利亚，这次再来这座构思新颖、寓意深刻的现代化城市，我想起了她的缔造者、巴西前总统库比契克的名言："巴西利亚凝聚了巴西人民开拓进取、敢为人先、自信自强、推陈出新、勇于担当的民族精神。"正是在这种民族精神激励下，巴西人民同心协力、奋发有为，国家建设和经济社会发展取得了令人瞩目的成就。

巴西国歌唱道："你是天造地设的巨人，你美丽、坚强、充满勇气，你的前程无限壮丽。"中国人民祝愿巴西更美丽、更坚强、前程更壮丽。

女士们、先生们、朋友们！

"海内存知己，天涯若比邻。"用这句中国古诗来形容中巴关系再贴切不过了。中国和巴西远隔重洋，但浩瀚的太平洋没能阻止两国人民友好交往的进程。200年前，首批中国茶农就跨越千山万水来到巴西种茶授艺。在1873年维也纳世界博览会上，巴西出产的茶叶赢得了广泛赞誉。中巴人民在漫长岁月中结下的真挚情谊，恰似中国茶农的辛勤劳作一样，种下的是希望，收获的是喜悦，品味的是友情。中国国画大师张大千曾旅居巴西17年，在他居住的八德园画出了《长江万里图》、《黄山图》、《思乡图》等传世珍品。

1974年8月15日，中国和巴西正式建立外交关系，开启了两国关系发展新纪元。孔子说："四十而不惑"。我们高兴地看到，进入不惑之年的中巴关系更加稳固、更加成熟。巴西是第一个同中国建立战略伙伴关系的发展中国家，也是第一个同中国建立全面战略伙伴关系的拉美国家。中巴两国相互视为重要合作伙伴，双边关系不断发展，堪称南南合作的典范。

中国连续5年成为巴西第一大贸易伙伴，巴西长期是中国在拉美的最大贸易伙伴和重要投资目的地，两国务实合作不仅涵盖传统经贸领域，更拓展到资源卫星、支线飞机、深海石油勘探开发、生物技术等高技术领域，称得上是上天入海、包罗万象。我们两国在众多国际和多边机制框架内就全球治理、可持续发展、气候变化、信息安全等重大国际事务保持密切沟通和协作，有力维护了发展中国家共同利益，促进了世界和平与发展。

女士们、先生们、朋友们！

中国和巴西同为有重要影响的发展中大国和发展前景广阔的新兴市场国家，中巴关系早已超越双边范畴，越来越具有全球性影响。我们双方应该以两国建交 40 周年为新起点，承前启后，继往开来，以更加长远的眼光、更加宽广的胸怀、更加坚定的信心，在更高水平、更宽领域、更大舞台上推进中巴全面战略伙伴关系。

第一，我们要把握战略协作方向。40 年来，不管国际风云如何变幻，中巴始终坚持相互尊重、平等相待，这是两国关系不断拾级而上的秘诀所在。着眼维护中巴两国根本利益，双方要不断深化战略互信，在涉及国家主权、安全、领土完整等重大核心利益问题上继续相互理解，相互支持。我说过，鞋子合不合脚，只有穿的人才知道。我听说，巴西也有这样的谚语。说明这是一个众人皆知的常识。世界上没有包治百病的灵丹妙药，也没有放之四海而皆准的发展模式。我们应该继续坚定支持对方走符合自身国情的发展道路。

中巴两国领导人交往对引领两国关系发展具有不可替代的作用。双方应该保持高层交往势头，密切政府、立法机关、政党、地方交往，加强战略对话和沟通，积极开展治国理政经验交流。

立法机关在国家社会政治生活中起着重要作用，立法机关成员直接交往是双边关系的重要组成部分。前不久，阿尔维斯众议长访华期间向我谈到，加强同中国的友好合作是巴西朝野各界的高度共识。同样，中国社会各界加强同巴西合作的热情正日益高涨。希望各位议员发挥自身优势，为中巴两国和中拉人民友谊大厦不断添砖加瓦。

第二，我们要做好共同发展文章。中巴都是国土广袤、人口众多的国家，都处在关键发展阶段，面临艰巨的发展任务和复杂的外部经济环境，都在向改革、调整、创新要增长动力，两国发展潜力将进一步释放。双方应该抓住机遇、乘势而上，推动两国务实合作更深、更广、更好发展。

政策规划是发展的指南针。双方应该发挥两国高层协调与合作委员会的作用，加强宏观经济政策协调，加快落实中巴十年合作规划，扩大双方发展战略契合点。双方应该推动科技创新合作及其成果转化，加强信息技术、生物技术等高技术领域合作，提高合作含金量。

2013 年，中巴双边贸易额已经超过 900 亿美元，双方应该继续扩大贸易规模，增加高附加值产品比重，妥善解决贸易摩擦。双方应该扩大相互投资，发挥金融引擎作用，稳步推进一批符合双方发展需要、更好造福两国人民的战略性合作项目。

第三，我们要肩负国际责任担当。当今世界正在发生深刻复杂变化，和平、发展、合作、共赢已经成为时代潮流，世界多极化、经济全球化深入发展，文化多样化、社会信息化持续推进，科技革命孕育新突破，新兴市场国家和发展中国家整体实力增强，国际力量对比朝着有利于维护世界和平方向发展。

同时，世界仍然很不安宁。国际金融危机影响深远，世界经济增长不稳定不确定因素增多，全球发展不平衡加剧，霸权主义、强权政治和新干涉主义有所上升，局部动荡频繁发生，粮食安全、能源资源安全、网络安全等全球性问题更加突出。推动世界多极化、国际关系民主化，实现世界经济可持续发展，维护世界文明多样性，成为全球性主要议题。

公平正义是世界各国人民在国际关系领域追求的崇高目标。在当今国际关系中，公平正义还远远没有实现。巴西国会大厦的设计者尼迈尔先生曾经说过："如果有一天世界变得更加公正，生活将更加简单。"人类只有一个地球，各国共处一个世界。历史昭示我们，弱肉强食不是人类共存之道，穷兵黩武无法带来美好世界。世界各国都要遵循平等互信、包容互鉴、合作共赢的原则，一起来维护和弘扬国际公平正义，推动建设持久和平、共同繁荣的和谐世界。

作为东西半球的发展中大国，中巴两国在实现自身发展的同时，应该积极履行国际责任，维护和弘扬国际公平正义，推动国际秩序朝着更加公正合理的方向发展。

维护和弘扬国际公平正义，必须坚持联合国宪章宗旨和原则。我们应该提倡尊重各国主权和领土完整，尊重世界文明多样性和国家发展道路多样化，尊重和维护各国人民自主选择社会制度的权利，反对各种形式的霸权主义和强权政治。我们应该倡导人类命运共同体意识，在追求本国利益时兼顾他国合理关切，在谋求本国发展中促进各国共同发展，建立更加平等均衡的新型全球发展伙伴关系。我们应该倡导共同、综合、合作、可持续安全的理念，尊重和保障每一个国家的安全，加强国际和地区合作，共同应对日益增多的非传统安全威胁。我们应该加强在联合国、世界贸易组织、二十国集团、金砖国家等国际和多边机制内的协调和配合，凝聚发展中国家力量，积极参与全球治理，为发展中国家争取更多制度性权力和话语权。

维护和弘扬国际公平正义，必须坚持主权平等。主权是国家独立的根本标志，也是国家利益的根本体现和可靠保证。国家不分大小、强弱、贫富，都是国际社会平等成员，都有平等参与国际事务的权利，各国应该尊重彼此核心利益和重大关切。各国的事务应该由各国人民自己来管,世界的命运必须由各国人民共同掌握,世界上的事情只能由各国政府和人民共同商量来办。

当今世界,互联网发展对国家主权、安全、发展利益提出了新的挑战,必须认真应对。虽然互联网具有高度全球化的特征,但每一个国家在信息领域的主权权益都不应受到侵犯,互联网技术再发展也不能侵犯他国的信息主权。在信息领域没有双重标准,各国都有权维护自己的信息安全,不能一个国家安全而其他国家不安全,一部分国家安全而另一部分国家不安全,更不能牺牲别国安全谋求自身所谓绝对安全。国际社会要本着相互尊重和相互信任的原则,通过积极有效的国际合作,共同构建和平、安全、开放、合作的网络空间,建立多边、民主、透明的国际互联网治理体系。

女士们、先生们、朋友们!

拉美和加勒比是一片多姿多彩、充满希望的热土。拉美解放者玻利瓦尔说:“拉美人民的团结并不是谁的别出心裁,而是不可逃脱的命运使然。”长期以来，勤劳智慧的拉美和加勒比人民，积极探索符合自身实际的发展道路，在维护国家稳定、振兴民族经济、改善人民生活、推进地区一体化和外交多元化等方面取得了重大成就，在国际舞台上发挥着越来越重要的作用。中国人民为此感到由衷高兴，衷心祝愿拉美和加勒比人民不断取得新的更大成就。

中拉关系源远流长。早在16世纪下半叶，满载着丝绸和瓷器的“中国之船”就从中国的闽粤港口起航，辗转远赴拉美，开创了中拉友好交往的先河。

进入21世纪以来，中拉关系全面快速发展，给双方人民带来了实实在在的好处。新形势下，全面推进中拉互利友好合作是双方人民共同期待。中方愿意同巴西及其他拉美和加勒比国家一道努力，使双方成为志同道合的好朋友、携手共进的好伙伴。

明天下午，我将出席中国—拉美和加勒比国家领导人会晤。我期待着同拉方领导人就治国理政经验、中拉关系以及共同关心的重大国际和地区问题交流看法，就建立中国—拉共体论坛、推进双方整体合作作出重要决定，推动建立平等互利、共同发展的中拉全面合作伙伴关系，推动中拉关系实现大发展。

女士们、先生们、朋友们！

当前，中国人民正在为实现中华民族伟大复兴的中国梦而奋斗。中国是世界上最大的发展中国家，发展是解决中国所有问题的关键。中国已经明确了今后一个时期的发展目标，即到2020年实现国内生产总值和城乡居民人均收入比2010年翻一番，全面建成惠及十几亿人口的小康社会；到本世纪中叶建成富强民主文明和谐的社会主义现代化国家。

中华民族历来是爱好和平的民族，坚定不移走和平发展道路。中国坚决反对各种形式的霸权主义和强权政治，愿意同各国一起维护人类良知和国际公理。中国发展离不开世界，世界发展也需要中国。我们将始终不渝奉行互利共赢的开放战略，致力于自身发展，也强调对世界的责任和贡献，造福中国人民，也造福各国人民。

巴西作家保罗·科埃略说过："世界掌握在那些有勇气凭借自己的才能去实现自己梦想的人手中。"团结协作、发展振兴是拉美人民薪火相传的梦想。中国梦和拉美梦息息相通。中拉双方要勇于追梦、共同圆梦。

女士们、先生们、朋友们!

“人之相识,贵在相知;人之相知,贵在知心。”人民友好是中巴双边关系发展的力量源泉。上世纪80年代,巴西电视剧《女奴》风靡中国,伊佐拉对自由和爱情的追求打动了亿万中国观众的心。巴西音乐和舞蹈受到越来越多中国年轻人喜爱。同时,在巴西中文热、中华文化热不断升温。巴西是设立孔子学院和孔子课堂最多的拉美国家,已经开设的7所孔子学院、2个孔子课堂学生众多,后续生源踊跃。双方应该持续推动人文交流,积极创造条件,促进年轻人交往,让中巴友谊世代传承。

巴西人说,友谊就像葡萄酒一样,时间越久越好。长期以来,热心中拉关系发展的广大人士,为增进中拉人民相互了解和友谊默默奉献。

巴西一位耄耋老人卡洛斯·塔瓦雷斯说自己是“一个有颗中国心的巴西人”。40多年来,他孜孜不倦关注和研究中国,笔耕不辍撰写关于中国的8本书籍和500多篇文章,作了数百场关于中国的演讲。许多巴西人因为他的文字认识中国、走近中国。有人问他这样做的动机是什么,他说“我只想介绍中国,让更多人了解中国,别无他图”。

这个感人故事,只是中拉人民友好交往长河中的一朵美丽浪花。正是得益于众多中拉人士的辛勤付出,中拉关系才如同长江和亚马孙河一样奔流不息、一往无前!

女士们、先生们、朋友们!

“潮平两岸阔,风正一帆悬。”展望未来,让我们手拉手、肩并肩,共同开创中巴全面战略伙伴关系更加美好的未来,共同谱写中拉全面合作伙伴关系的壮丽诗篇,共同为人类和平与发展的崇高事业作出新的更大的贡献!

奥布里嘎多!谢谢!